New York, 24 h chrono

New York, 24 h chrono

ROMAN

NICOLAS ANCION

Nicolas Ancion a grandi dans les coulisses du théâtre de marionnettes qu'animaient ses parents en Belgique, à Liège. C'est là qu'il a étudié la littérature et écrit son premier roman, avant de beaucoup voyager et de déménager souvent. Il a notamment fait étape à Bruxelles, Madrid et Montréal, avant de s'installer en famille dans un petit village du Sud de la France et se consacrer entièrement à l'écriture.

Ses romans, sa poésie et ses nouvelles sont à la fois drôles et cruels, mélange étonnant d'émotion et de férocité où des personnages très ordinaires vivent des aventures hors du commun. Ses livres ont été récompensés par de nombreux prix littéraires.

La première version de *New York, 24 h chrono* a été écrite lors d'un marathon littéraire de 24 heures à New York, organisé avec le soutien de Languedoc-Roussillon Livre et Lecture.

LA COLLECTION MONDES EN VF

Collection dirigée par Myriam Louviot
Docteur en littérature comparée

www.mondesenvf.com

Le site *Mondes en VF* vous accompagne pas à pas pour enseigner la littérature en classe de FLE par des ateliers d'écriture avec :

- une fiche «Animer des ateliers d'écriture en classe de FLE» ;
- des fiches pédagogiques de 30 minutes «clé en main» et des listes de vocabulaire pour faciliter la lecture ;
- des fiches de synthèse sur des genres littéraires, des littératures par pays, des thématiques spécifiques, etc.

 Téléchargez gratuitement
la version audio MP3

Dans la collection Mondes en VF

1

Pour courir, il ne suffit pas d'avoir deux jambes, il faut surtout une bonne raison de se mettre en route. La plupart du temps, on ne court pas pour arriver plus vite, mais pour fuir. Et quand on court très très vite, c'est surtout pour se fuir soi-même.

Si Miguel court en rond, entre les murs de la Cité de Carcassonne, ce n'est pas parce qu'il veut rentrer à la maison : ce serait idiot, c'est de là qu'il est parti. Non, s'il court, c'est parce qu'il a besoin de nettoyer ses poumons[1]. Parce qu'il a envie de se dépenser[2]. Parce qu'il doit faire le vide dans sa tête.

---

1. Poumon (n.m.) : *Organe, partie du corps qui sert à respirer.*
2. Se dépenser (v.) : *Faire des efforts importants, dépenser de l'énergie.*

Ce matin, il a reçu une lettre comme on n'en reçoit pas beaucoup dans une vie. *Une*, si on a de la chance. Peut-être deux. Jamais plus, c'est certain. Elle était postée depuis l'Espagne. Le cachet[3] de la poste ne laissait aucun doute : Barcelone. C'est une belle ville, Barcelone, avec de grandes avenues et des maisons imposantes, des plages au bout des rues, une cathédrale en construction avec des tours qui ressemblent à des monstres. Mais quand Miguel pense à cette ville, il a tout autre chose en tête.

Il voulait courir pour se changer les idées et il se sent de plus en plus lourd. Ses jambes pèsent, son corps fatigue : il en est à son troisième tour. À sa droite, le haut mur de la Cité de Carcassonne s'élève sur une bonne dizaine de mètres, avec ses tours en grosses pierres, surmontées de petits toits pointus. À sa gauche, un autre mur dissimule[4] le paysage. Des kilomètres et des kilomètres de vignes et de campagne. Une rivière qui coule doucement, bien plus vieille encore que le pont qui permet de la traverser. Miguel ne voit rien de tout cela, pourtant. Il ne pense qu'à la lettre.

---

3. Cachet (n.m.) : *Ici, signe imprimé sur l'enveloppe par la poste, qui indique la date et l'heure de remise de la lettre à la poste.*
4. Dissimuler (v.) : *Cacher.*

L'expéditeur : Ramon Perez Arribas. Ramon Perez Arribas est le grand-père de Miguel Perez. Ou plutôt était son grand-père, car il l'explique bien dans sa lettre : il est mort.

Pas quand il l'a écrite, bien sûr, mais au moment de son ouverture.

C'est-à-dire ce matin.

La mort de son grand-père n'a pas rendu Miguel triste. Il n'avait pas eu de ses nouvelles depuis plus de vingt ans. Il le croyait d'ailleurs mort depuis longtemps. Qui aurait imaginé qu'il tiendrait jusqu'à ses quatre-vingt-douze ans ? Pas Miguel. Il se souvient juste du mauvais caractère de son grand-père : il ne parlait plus à son père depuis très longtemps. Miguel est à bout de souffle[5], il rejoint la porte principale de la Cité de Carcassonne. Son t-shirt est trempé[6], ses cheveux aussi. Il a envie d'une douche et d'une bouteille d'eau. Il tourne sur la gauche et descend la colline[7] vers le centre de Carcassonne, où il habite.

---

5. Être à bout de souffle (expr.) : *Être très fatigué (au point d'avoir du mal à respirer).*
6. Trempé (adj.) : *Très mouillé.*
7. Colline (n.f.) : *Petite montagne.*

Mon cher Miguel,

Tu dois te demander pourquoi je t'écris aujourd'hui, après tant d'années de silence. C'est parce que je suis mort, tout simplement. La preuve, ce n'est pas moi qui t'envoie cette lettre mais mon notaire[8], qui réalise ainsi une de mes dernières volontés.

Quand j'ai quitté la France en 1979 pour retourner à Barcelone, j'espérais récupérer[9] notre maison. Celle que ta grand-mère et moi avons dû abandonner en 1939 quand les franquistes[10] ont pris la ville. J'ai entrepris des démarches[11] auprès des autorités, j'ai tenté de négocier avec les nouveaux habitants, je n'ai rien obtenu. J'avais tout perdu. J'aurais dû faire comme les autres, courber le dos, me faire tout petit et accepter les conséquences de la dictature.

Tu ne me connais pas, mais je peux te dire que ce n'est pas dans mes habitudes. Je n'avais pas beaucoup d'argent, je n'étais plus tout jeune (il faut imaginer qu'à mon retour à Barcelone, j'avais

---

8. Notaire (n.m.) : *Personne qui authentifie des contrats, des actes.*
9. Récupérer (v.) : *Regagner, reprendre en sa possession.*
10. Franquiste (n.m.) : *Partisan du régime de Franco en Espagne (dictature militaire fasciste de 1936/1939 à 1977).*
11. Entreprendre des démarches : *Commencer des demandes officielles, des formalités.*

cinquante-six ans) et pourtant j'ai décidé de me lancer dans le commerce. J'avais gardé de bons contacts avec des marchands de vins en France. J'ai importé de grands vins, pendant plus de quinze ans. J'ai gagné beaucoup d'argent. Je n'ai jamais pu récupérer la maison de mes parents, celle où j'ai grandi et où j'ai rencontré la femme de ma vie, mais j'ai acheté une villa, dans le quartier de Gracia que tu ne connais sans doute pas. Le jardin est magnifique, il y pousse des citrons et des oranges. Je ne sais pas si tu as des enfants, mais ils pourraient jouer ici pendant toute l'année. La plage n'est pas loin, la vie est douce.

Mais je serais injuste, si je t'offrais simplement cette maison. Je sais que ton père est mort et que tu es son seul enfant, mais moi j'en ai eu deux. Ton oncle Alejandro est sans doute toujours en vie, quelque part aux États-Unis. Ton père et lui ne se parlaient plus depuis longtemps, je n'ai jamais su pourquoi. Et d'ailleurs, moi, je n'avais plus de contact ni avec l'un ni avec l'autre. Au moment où j'écris cette lettre, je n'ai pas réussi à retrouver ton oncle. Je sais juste qu'il a eu une fille, Ana, qui doit avoir à peu près ton âge. Je suis vieux, je ne comprends rien à Internet, je n'ai pas envie d'engager[12] un détective

---

12. Engager (v.) : *Recruter, donner un travail à quelqu'un. Ici, prendre un détective à son service.*

*pour retrouver mon fils ou ma petite-fille, que je n'ai
jamais rencontrée.*

    *C'est à toi de le faire. J'ai donné des ordres précis
à mon notaire. Si tu retrouves la famille aux États-
Unis, si tu réussis à les faire venir à Barcelone, tu
hériteras[13] de ma maison en Espagne et d'une bonne
part de ma fortune. Le reste sera pour ta cousine et
ton oncle, s'ils acceptent de se déplacer.*

    *Rien ne me rend plus triste que cette dispute
entre mes deux enfants. Si tu parviens à réunir la
famille, tu pourras vivre longtemps et heureux à
Barcelone. Si tu n'y parviens pas, mon héritage sera
offert à ma société d'importation de vins, que j'ai
cédée[14] à l'un de mes anciens associés. Pour te donner
une bonne raison de ne pas attendre, je mets une
limite dans le temps. Tu as un mois pour te présenter
chez mon notaire. Sinon, il considérera[15] que tu as
laissé tomber.*

    *En lisant cette lettre, tu te dis peut-être que je
suis fou. Si tu me connaissais mieux, tu saurais que
je le suis vraiment. Et depuis très longtemps.*

---

13. Hériter (v.) : *Recevoir (de l'argent, une maison, des terres, etc.)
à la mort de quelqu'un.*
14. Céder (v.) : *Ici, vendre.*
15. Considérer (v.) : *Estimer, juger, penser.*

La vie ne vaut la peine[16] d'être vécue que pour ses moments de folie. C'est dans les instants où l'on perd le contrôle que l'on sent vraiment battre son cœur. Comme maintenant, au moment de signer cette lettre et de la remettre à mon notaire avec mon testament[17].

Il me reste à te souhaiter bonne chance. J'espère que tu réussiras, que tu retrouveras ton oncle, ta cousine, et que tu les amèneras ici, en Catalogne, pour ouvrir mon testament.

J'ai confiance en toi.

Je t'embrasse très fort,

Ton grand-père Ramon

P.-S. : tu trouveras dans cette enveloppe deux photos de la villa à Barcelone, pour te donner une idée du bonheur qui t'attend. Bonne chance encore.

En sortant de la douche, Miguel ne peut s'empêcher de regarder à nouveau les deux photos. Sur la première, on aperçoit une splendide villa,

---

16. Valoir la peine (expr.) : *Être profitable, mériter. Ici, cela signifie que ce sont les moments de folie qui rendent la vie belle.*
17. Testament (n.m.) : *Acte juridique (document) dans lequel une personne fait connaître ses dernières volontés et déclare notamment comment elle veut partager ses biens à sa mort.*

avec de grandes fenêtres blanches. La maison doit dater de la fin du XIXᵉ siècle, quand les bourgeois avaient l'amour des belles pierres et un budget illimité. Une terrasse au rez-de-chaussée donne accès à un jardin qui ressemble à un parc.

La deuxième photo donne à voir l'intérieur de la maison : une cheminée en marbre[18] et en face deux larges fauteuils en cuir. L'endroit idéal pour lire de longs romans ou tricoter[19] d'interminables écharpes… Sur la cheminée, un grand miroir. On y voit le reflet d'une bibliothèque en bois sombre chargée d'ouvrages[20] anciens. Pour Miguel, difficile d'imaginer plus bel endroit ! Lui qui passe ses dimanches dans les brocantes[21] et les vide-greniers[22] à la recherche de vieux livres.

Dans une autre vie, Miguel aurait aimé être relieur[23]. Passer sa journée en compagnie de livres et les préparer à traverser les siècles.

---

18. Marbre (n.m.) : *Pierre très dure, souvent considérée comme noble.*
19. Tricoter (v.) : *Faire un tissu, un vêtement, en entrecroisant des fils pour faire des boucles avec des aiguilles.*
20. Ouvrage (n.m.) : *Ici, livre.*
21. Brocante (n.f.) : *Commerce d'objets usagés.*
22. Vide-greniers (n.m.inv.) : *Brocante où chacun peut amener ses objets usagés.*
23. Relieur (n.m.) : *Artisan qui répare ou recouvre les livres par des moyens traditionnels pour les rendre plus solides ou plus beaux.*

Malheureusement, dans cette vie-ci, il n'est qu'employé de compagnie d'assurance. Il répond au courrier, met les tampons[24] où il faut, agrafe[25] et photocopie, envoie des courriers électroniques et des fax, puis attend que la journée se termine.

Le soir, en revanche, Miguel a tout son temps. Il peut enfin s'asseoir face à ses livres, les regarder pendant des heures, les feuilleter[26]. Les plus beaux, ceux avec de vieilles gravures d'animaux sauvages ou de tribus exotiques, des cartes de pays lointains dont même les noms ont disparu, il les partage sur son blog. C'est sa petite folie. Peut-être l'a-t-il héritée de son grand-père sans le savoir, lui qui aimait aussi les beaux livres, lui qui aimait aussi le vin.

Au moment de se sécher les cheveux, Miguel se dit que c'est un peu triste de découvrir qu'une personne si proche était si passionnante et qu'on ne l'a pas connue. Il n'a gardé aucun souvenir de ce grand-père reparti à Barcelone. Dans l'album de souvenirs, on ne trouve qu'une seule photo de la famille de son père, où les grands-parents

---

24. Tampon (n.m.) : *Signe fait à l'encre.*
25. Agrafer (v.) : *Attacher ensemble au moyen d'une agrafe (petite fermeture de métal).*
26. Feuilleter (v.) : *Parcourir, tourner les pages.*

posent[27] en noir et blanc devant une fontaine, avec leurs deux fils. Le père de Miguel a tout au plus quatre ou cinq ans. Son frère doit en avoir huit. Il n'y a ni date ni lieu. Le cliché[28] a été pris dans la région. On reconnaît la lumière du midi qui oblige la grand-mère à plisser[29] les yeux. Elle est morte à la fin du siècle dernier. Miguel la connaissait si mal qu'il n'a pas eu envie d'accompagner son père à l'enterrement en Catalogne.

Il le regrette, à présent. S'il y était allé, il aurait pu rencontrer son grand-père, lui parler de livres, visiter sa maison.

Il pose les deux photos sur son bureau et marche jusqu'à la fenêtre. De longs nuages blancs se déchirent à travers le ciel. Ils lui font penser à cette famille qui se sépare d'un continent à l'autre.

Sous la douche, quelques minutes plus tôt, Miguel a pris sa décision. Il va retrouver son oncle et sa cousine. Il ne peut pas laisser passer une chance pareille. Il s'est assis face à l'écran

---

27. Poser (v.) : *Ici, prendre une attitude particulière pour être photographié, se tenir immobile face au photographe.*
28. Cliché (n.m.) : *Ici, photographie.*
29. Plisser (v.) : *Ici, fermer à demi.*

plat de son ordinateur. Il a posé les deux photos juste sous ses yeux, histoire de[30] ne pas oublier la raison pour laquelle il part à la recherche de ces deux inconnus exilés à l'autre bout de la terre.

Le temps que son ordinateur s'allume, Miguel tente de calculer l'heure qu'il est aux États-Unis. Le soleil s'enfuit dans cette direction quand il en a assez de chauffer le Vieux Continent. C'est encore la nuit, sans doute, là-bas. Le pays est trop grand. Pour trouver l'heure, il faudrait savoir avec plus de précision où ils habitent.

Google est si rapide que Miguel a l'impression d'aller plus vite que le temps. D'une première recherche, il passe à une autre et retrouve bientôt la trace de son oncle à New York. Facile : il a tenu un restaurant dans Soho au début des années 2000. Une photo de lui, en chemise et jeans, illustre une critique de presse. On le présente comme un explorateur culinaire[31], héritier de la cuisine catalane et de la tradition française. Il ressemble étonnamment au père de Miguel. Pourquoi lui a-t-on caché les succès de cet oncle cuisinier ? D'après son père, l'oncle était

---

30. Histoire de (expr.) : *Pour.* (fam.)
31. Culinaire (adj.) : *En lien avec la cuisine, gastronomique.*

un frère méchant, qui lui volait ses jouets et le frappait jusqu'à ce qu'il pleure. Il n'avait jamais été question ni de cuisine ni de restaurant.

Après deux heures de recherches, Miguel sait qu'il ne le rencontrera plus jamais, de toute façon. L'oncle s'est jeté sous un métro une nuit de décembre 2005. Un suicide, tout simplement. La presse en a parlé, car il a entraîné la fermeture du restaurant. Une question traverse l'esprit de Miguel : que se passera-t-il si sa fille est elle aussi décédée[32] ? Qui devra-t-il emmener à Barcelone chez le notaire pour toucher l'héritage ? Miguel parcourt la lettre. Rien à ce sujet, malheureusement.

Il espère plus que jamais retrouver la trace de sa cousine. Sa villa en Espagne en dépend...

---

32. Décédé (adj.) : *Mort.*

2

Le premier coup dans la mâchoire[33] est toujours le plus terrible. La vue se trouble, la douleur monte directement au cerveau. Pas le temps de respirer : le deuxième arrive. Dans le ventre, le plus souvent. On plie en deux, la tête vers le sol, et on reçoit un coup de genou dans le nez ou un coup de coude à l'arrière de la tête.

Trop tard.

On est déjà allongé sur le sol et, là, c'est comme la pluie d'orage, les coups tombent sans s'arrêter. On ne peut plus rien faire, on attend que ça passe. Ça finit toujours par passer, Roberto le sait.

---

33. Mâchoire (n.f.) : *Dans le visage, parties osseuses dans lesquelles sont plantées les dents.*

– C'est un avertissement[34], c'est tout, crie le grand pendant que le petit fouille[35] les poches de Roberto, étendu sur le sol.

Ils sont toujours deux, les vautours[36] ne se déplacent jamais seuls. S'il était à leur place, Roberto ferait pareil.

Il sent des mains le fouiller jusqu'à trouver son portefeuille. Son corps est en morceaux. La douleur le traverse comme un courant d'air sur un quai de gare. Le pire est passé, l'orage s'éloigne.

– Roberto ! reprend le grand à quelques centimètres à peine de l'oreille en sang. Tu as deux semaines. Tu m'entends ? Deux semaines et pas un jour de plus. On sait où tu habites. On connaît ta copine, elle est jolie. Si tu ne paies pas, ce n'est plus toi qu'on frappe, c'est elle, directement.

Le colosse[37] laisse le silence retomber. Roberto n'entend plus que le bruit du chewing-gum dans la bouche du grand.

---

34. Avertissement (n.m.) : *Mise en garde.*
35. Fouiller (v.) : *Chercher avec soin.*
36. Vautour (n.m.) : *Oiseau rapace qui se nourrit d'animaux morts. Ici, sens figuré : personne qui exploite la faiblesse des autres.*
37. Colosse (n.m.) : *Homme très grand et d'une grande force.*

– Et elle, on n'a aucune raison de la laisser en vie. Tu comprends, Roberto ?

– Il y a rien dans son portefeuille, T-J.

– Alors on va rire. Qu'il le mange, son portefeuille !

Roberto essaie de se débattre[38], il tourne la tête d'un côté puis de l'autre mais le petit parvient à lui enfoncer le portefeuille entre les lèvres puis à appuyer si fort que Roberto a l'impression que sa mâchoire va exploser. Il va vomir[39].

Les deux hommes rient. Roberto est à bout de force[40]. À peine parvient-il à ouvrir les yeux pour vérifier que ses deux agresseurs sont bien partis, quand il n'entend plus leurs pas dans la ruelle[41].

Il tente de se remettre debout, sans succès. Ses muscles ne veulent plus répondre. Alors, il ferme les yeux pour de bon et se dit qu'il va s'endormir là, la tête en sang contre le trottoir, en attendant que les choses s'arrangent.

---

38. Se débattre (v.) : *Faire des mouvements pour se défendre.*
39. Vomir (v.) : *Rejeter par la bouche le contenu de l'estomac.*
40. Être à bout de force (expr.) : *Être épuisé, très fatigué.*
41. Ruelle (n.f.) : *Petite rue.*

3

Miguel Perez est assis dans son salon. Il a failli[42] acheter un billet d'avion pour New York et s'est arrêté, juste avant d'introduire les chiffres de sa carte de crédit.

Il a retrouvé Ana : elle habite New York, comme son père. Il n'y a pas de photo en ligne, juste un profil[43] incomplet sur un site de mise en réseau professionnel. Pas d'adresse mail, mais le système de messagerie du site permet de communiquer entre membres. Miguel s'est inscrit en quelques minutes, mais n'est pas allé plus loin.

Il ne sait pas vraiment comment commencer son message.

Il est fier de ses recherches, en tout cas. Il se dit qu'un autre que lui, moins familier du

---

42. Faillir (v.) : *Être sur le point de faire quelques chose.*
43. Profil (n.m.) : *Sur un site Internet, présentation brève d'une personne.*

web, moins habitué à utiliser les moteurs de recherche pour dénicher[44] la bonne affaire, se serait sans doute arrêté depuis longtemps, épuisé, sans résultat. Pas lui.

Il fouille comme il court : longtemps et avec un objectif précis. Jamais il ne s'arrête avant d'avoir trouvé.

New York... Il a toujours rêvé de visiter cette ville un jour. Les taxis jaunes et les gratte-ciel[45], la Statue de la Liberté offerte par la France... La demande de son grand-père est comme un cadeau tombé du ciel. Il a toujours eu envie de visiter les États-Unis. Il va y aller... pour rencontrer sa cousine ! Jamais il n'aurait pu imaginer un projet aussi passionnant. Rien à voir avec son travail de bureau, avec les courriers et les coups de fil qui se ressemblent tous...

Et pourtant, assis dans le canapé, à présent, il hésite. Il a l'impression qu'il va faire une grosse bêtise. Comment expliquer simplement ce qu'il attend de sa cousine ? Peut-il débarquer[46] ainsi dans sa vie et lui demander, même très poliment,

---

44. Dénicher (v.) : *Trouver.*
45. Gratte-ciel (n.m.inv.) : *Immeuble très élevé.*
46. Débarquer (v.) : *Arriver chez quelqu'un de manière inattendue.* (fam.)

de monter dans un avion pour Barcelone ?
Pourquoi accepterait-elle ? C'est impossible.

C'est pour cela que l'idée lui plaît.

Chère Ana, chère cousine,

Tu n'as sans doute jamais entendu parler de moi. Tu ne savais peut-être même pas que tu avais un cousin. Et pourtant, je suis là.

Miguel Perez Arribas. Le fils de Raul, ton oncle. Tu n'as peut-être jamais entendu parler de lui non plus. Je crois que nos pères ne s'entendaient pas. Ce n'est pas grave, il faut laisser le passé derrière nous. Cela ne sert à rien de prolonger des anciennes disputes.

Je vais bientôt venir à New York. Est-ce qu'on pourrait se voir ? Ça me ferait plaisir de faire ta connaissance.

As-tu des enfants ? Moi, je suis un vieux jeune homme, comme on dit en France. Je ne me suis jamais marié, je n'ai pas d'enfant. J'habite dans le sud, à Carcassonne, une très jolie ville, minuscule comparée à New York. Je travaille dans les assurances.

Au plaisir d'avoir de tes nouvelles,

Ton cousin Miguel

Dès qu'il a envoyé le message, Miguel se sent regonflé comme un ballon de football tout neuf. Il mangerait volontiers une choucroute[47], repartirait bien pour une heure de course, sauterait volontiers[48] dans l'Atlantique pour traverser l'océan à la nage. Il tourne en rond dans son appartement, tente de regarder la télévision sans succès, finit par enfiler sa veste et sortir dans la rue.

Le vent frais lui fait l'effet d'une gifle[49]. C'est exactement ce dont il a besoin. Les idées se remettent lentement en place, il se dit que toutes ces démarches n'aboutiront certainement à rien, mais que ce n'est pas grave, puisqu'il n'aura consacré à cette recherche qu'un samedi tout au plus.

C'est ce qu'il se répète le dimanche matin, en fouillant les caisses de livres dans les brocantes, ce qu'il pense encore le dimanche soir, lorsqu'il vérifie pour la centième fois s'il n'a pas reçu de réponse.

Rien ne vient, bien sûr.

Ce serait trop facile, s'il suffisait d'un message pour rattraper des années de silence.

---

47. Choucroute (n.f.) : *Plat à base de chou.*
48. Volontiers (adv.) : *Avec plaisir.*
49. Gifle (n.f.) : *Coup porté au visage avec la main.*

Le lundi matin, Miguel n'a aucune envie d'aller travailler. Il n'a pourtant que trois rues à parcourir. Le soleil brille déjà derrière les arbres du boulevard. Miguel lève la tête pour observer le passage d'un avion dans le ciel bleu. Ce sont toujours les mêmes que l'on voit au-dessus de la ville, des avions à bas coût, qui ne volent que sur le continent, trop faibles ou trop peu fiables[50] pour traverser l'océan. Aucun de ceux-là n'ira jusqu'à la Statue de la Liberté saluer sa cousine.

Les lundis sont les pires journées, au bureau. Non seulement il faut accomplir le travail qui s'est accumulé[51] pendant le week-end (les seize messages sur le répondeur téléphonique, les fax déroulés au bas de la machine, les mails à l'infini), mais il faut aussi écouter le récit insupportable du week-end des collègues. Chaque semaine, c'est pareil : ils ont un truc incroyable à raconter qui, une fois expliqué, n'a plus rien d'incroyable du tout. Il faut absolument qu'ils entrent dans les détails, qu'ils précisent comment ils avaient préparé la sauce, où ils avaient décidé de faire arrêt sur la route, avec quel appât[52] ils ont pêché.

---

50. Peu fiable : *À qui on ne peut faire confiance.*
51. S'accumuler (v.) : *S'entasser, augmenter.*
52. Appât (n.m.) : *Nourriture utilisée pour attirer le poisson quand on pêche.*

Tout excités d'occuper le centre de l'attention pendant quelques très longues secondes, ils ne remarquent ni les haussements[53] de sourcils ni les sourires forcés. Pour une fois, Miguel a une vraie histoire à partager. Elle n'est pas drôle, elle n'est pas ridicule, mais elle est extraordinaire. Trop extraordinaire, justement, pour qu'il la partage avec ces collègues qu'il déteste.

Il se tait donc et, devant la broyeuse[54] à documents, détruit l'une après l'autre les quarante-trois pages d'un dossier d'indemnisation[55] périmé[56], espérant, en vain, que le bruit couvrira les bavardages du bureau.

C'est vers quinze heures que l'incroyable se produit.

Cher Miguel,

Tu as de la chance, je ne viens jamais sur ce site, mais j'ai reçu un mail pour me prévenir que j'avais un message.

---

53. Haussement de sourcils : *Action de lever les sourcils en signe d'agacement, d'impatience.*
54. Broyeuse (n.f.) : *Machine qui détruit, réduit en fragments.*
55. Indemnisation (n.f.) : *Compensation financière, réparation d'un dommage (par une somme d'argent).*
56. Périmé (adj.) : *Dont la date limite est dépassée.*

Si je me souviens de mon cousin ? J'ai une photo de toi avec tes parents quand tu étais tout petit, assis tous les trois sur le capot[57] d'une voiture. C'est une Renault. Je l'ai récupérée au décès de mon père. Il est mort il y a quelques années et ça m'a rendue très triste.

Je n'ai pas de frère ou de sœur et pas de cousins du côté de ma mère. Je serais si heureuse de te rencontrer ! Quand viens-tu aux États-Unis ? Si tu passes à New York et que tu n'as pas peur de découvrir la vraie ville, tu peux loger chez nous, à Harlem. Ça te changera de Carcassonne ! Nous avons une chambre d'amis pour toi : tu viens quand tu veux.

Comme tu me donnes de tes nouvelles, je t'en donne aussi. Je travaille dans un centre d'appel : je gère le secrétariat et les rendez-vous de médecins. Mon compagnon, Roberto, est informaticien. Il est d'origine espagnole, lui aussi. Tu verras, il est très sympa.

Ça m'a fait plaisir de te lire.

Je t'embrasse,

Ta cousine

---

57. Capot (n.m.) : *Partie métallique d'une voiture qui se trouve au-dessus du moteur.*

Moins de deux heures après avoir reçu cette réponse, Miguel demande à voir la patronne de l'agence pour négocier rapidement une semaine de congé[58]. Il a tellement de jours à rattraper qu'il pourrait prendre un mois entier.

– Une cousine ! s'exclame la patronne. Moi, j'en ai une dizaine et je dois avouer que je me débarrasserais[59] volontiers de la moitié. Si vous en voulez d'autres, installées un peu plus près de chez nous, je peux vous en prêter.

Voilà comment Miguel se retrouve le soir, à la maison, devant son écran d'ordinateur, à comparer les tarifs des différentes compagnies d'aviation. Il choisit la moins chère, qui vole via Munich, règle le paiement et se retrouve, tout excité, à sautiller[60] dans son appartement.

Il ne se calmera pas comme ça, sans rien faire. Il faut qu'il sorte courir. Il enfile un short et un t-shirt puis s'élance pas trop vite sur le boulevard. Il contourne la caserne[61], prend de la vitesse et rejoint les bords de la rivière, l'Aude, qui traverse la ville.

---

58. Congé (n.m.) : *Autorisation de s'absenter du travail, période de vacances.*
59. Se débarrasser (v.) : *Se défaire, se libérer de quelqu'un ou quelque chose.*
60. Sautiller (v.) : *Faire des petits sauts.*
61. Caserne (n.f.) : *Lieu où sont logés les militaires.*

C'est un de ses parcours préférés : plat, paisible, ombragé[62] par endroits. Il pourrait passer des heures ainsi, le corps en mouvement, plongé dans ses pensées.

Il n'a jamais quitté le continent. Il n'a jamais parlé anglais qu'avec des touristes qui cherchaient leur chemin. Il a presque toujours dormi dans le même lit... Et il va prendre l'avion pendant près de sept heures, atterrir sur le continent américain, marcher entre les gratte-ciel, manger des hamburgers géants et, sans doute, s'endormir en décalage[63], un œil sur l'horloge et l'autre sur le soleil pas encore levé.

Et, dans quelques mois, peut-être, il sera assis dans le jardin de sa villa en Espagne, un épais roman sur les genoux, un verre de vin posé sur une table basse, il écoutera le murmure paisible de Barcelone s'élever dans le ciel brûlant.

Il ne sent plus ses pieds, il a l'impression de voler. Il lui faut un exercice plus difficile. Il traverse le Pont Vieux et s'élance à toute vitesse en direction de la colline qui monte jusqu'à la Cité médiévale[64]. Il a tant d'énergie à dépenser

---

62. Ombragé (adj.) : *Où il y a de l'ombre.*
63. Décalage (n.m.) : *Écart dans le temps ou dans l'espace.*
64. Médiéval (adj.) : *Du Moyen-Âge.*

qu'il courrait bien tout de suite jusqu'à New York et Harlem, sans même le temps de reprendre son souffle.

Cher cousin,

J'ai pris un jour de vacance pour le jour de ton arrivée. Un cousin qui vient du bout du monde, c'est un événement.

Donne-moi les références de ton vol, je viendrai te chercher à l'aéroport.

Je suis tellement impatiente de te rencontrer en vrai !

À très vite,

Ana

4

Inutile de perdre du temps à raconter les détails sans importance : le mauvais vin blanc qui monte à la tête dans l'avion et le café qui se renverse à la fin du repas, la queue[65] interminable à l'immigration, la fouille par un douanier qui rigole en examinant les chaussettes soigneusement repassées deux par deux. Tout est oublié en un instant : quand Miguel voit une jeune femme à cheveux bruns tenir une feuille A4 où le nom et le prénom de Miguel sont imprimés. Le sourire de sa cousine est si large qu'on dirait qu'il veut lui manger les oreilles.

— Bienvenue aux États-Unis, Miguel.

Miguel ne sait que faire. Doit-il courir pour embrasser sa cousine ? Lui sourire en avançant ?

---

65. Queue (n.f.) : *Ici, file d'attente.*

Finalement il se laisse simplement porter par la foule et se retrouve face à elle.

– Tu veux que je prenne ta valise ? demande Ana.

– Non, non, l'exercice me fera du bien. Je suis resté immobile dans l'avion pendant près de huit heures.

– C'est par ici, dit-elle en indiquant[66] un ascenseur.

Quand ils se retrouvent tous deux dans le métro vers Manhattan, Miguel est un peu déçu. Il avait imaginé un trajet en voiture. Rejoindre un voyageur à l'aéroport pour l'accompagner ensuite en métro lui semble très exotique. Ana se tait, le regard dans le vide, son sourire est moins large, maintenant.

Miguel en profite pour contempler, par les vitres, les bâtiments géométriques, les rues tracées à la règle, les feux suspendus, les trottoirs larges et ces enseignes[67] de magasins où s'alignent tant de marques qu'il ne connaît pas. Quand le métro se glisse sous la terre, il reporte son attention sur les corps assis près de lui : fatigués, sales, mal

---

66. Indiquer (v.) : *Montrer, désigner.*
67. Enseigne (n.f.) : *Panneau publicitaire, pancarte portant le nom d'un magasin par exemple.*

habillés, ces gens ne ressemblent pas vraiment à l'image qu'il se faisait du pays.

Une fois dans la rue, la ville lui saute au visage. Les odeurs fortes de bitume[68] et d'épices, les passants trop gros et trop pressés, les voitures aux formes étonnantes, les maisons avec leurs petits escaliers menant au rez-de-chaussée. Ils marchent longtemps tous les deux avant d'atteindre l'immeuble en mauvais état qu'habite Ana.

– Désolée, l'entrée n'est pas très propre mais...

Elle ne finit pas sa phrase. Lorsqu'elle ouvre la porte de l'appartement, six étages plus haut, Miguel complèterait volontiers :

... mais c'est encore plus sale chez moi

... mais quand tu verras mon intérieur tu rêveras de dormir dans l'escalier

... mais ne te tracasse[69] pas : les rats et les cafards[70] n'entrent pas dans l'appartement, ils le trouvent trop sale.

---

68. Bitume (n.m.) : *Goudron, matériau qui recouvre les routes. Ici, le sol de la ville.* (fam.)
69. Se tracasser (v.) : *Se faire du souci, s'inquiéter.*
70. Cafard (n.m.) : *Insecte que l'on trouve parfois dans les appartements.*

Miguel reste debout en silence, près de la porte, comme si la proximité de l'escalier le rassurait. Il regarde ce studio malodorant[71] où les seuls meubles sont une table en mauvais état, une armoire et un grand lit double, autour duquel s'empilent[72] les vêtements. Sur le lit, des assiettes en carton sales et un ordinateur portable recollé avec de la bande adhésive[73] brune.

En face des deux fenêtres, un mur gris et une dizaine de systèmes de climatisation.

– Les toilettes sont à l'extérieur de l'appartement, annonce Ana, comme si c'était la chose la plus naturelle du monde.

– Et la chambre d'amis ?

– La quoi ?

– La chambre d'amis. Dans ton mail, tu me disais que tu pouvais me loger...

Ana semble particulièrement intéressée par une poussière sur le sol pendant quelques secondes. Elle ne répond rien.

– Ana ?

– Oui ? Ah, pour loger. Pas de problème. Je peux aller chercher un matelas chez un copain.

---

71. Malodorant (adj.) : *Qui sent mauvais.*
72. S'empiler (v.) : *S'entasser.*
73. Bande adhésive : *Ruban collant qui sert à fixer du papier, des objets.*

Et le mettre où ? se demande Miguel. Sur les piles de vêtements ou dans l'espace où s'ouvre la porte d'entrée ?

Une question lui brûle les lèvres : pourquoi lui a-t-elle dit qu'elle pouvait le loger si elle n'avait pas la place ? Il pouvait très bien aller à l'hôtel. Ça ne lui aurait pas posé le moindre problème. D'ailleurs, ce serait sans doute une bonne idée...

– Fais comme chez toi, je vais chercher des trucs à manger. Installe-toi.

La porte claque. La cousine est partie.

Miguel ne sait pas ce qu'il doit faire. Déplier ses bagages ? Il n'a rien à sortir et il ne va pas mettre sa brosse à dents sur le minuscule évier où traîne la vaisselle des derniers jours. Le studio ressemble à un nid improvisé par des animaux sauvages dans un appartement abandonné. Miguel se dit que si sa cousine habite dans un taudis[74] pareil, elle n'aura jamais l'argent pour payer son billet vers Barcelone.

---

74. Taudis (n.m.) : *Logement misérable.*

La porte de l'appartement s'ouvre soudain, sans prévenir. Miguel, qui s'était assoupi[75] sur une chaise à côté de l'évier, sursaute. C'est Ana. Mais elle n'est pas seule : avec elle entre un homme en jeans noir usé et t-shirt de la même couleur. Son visage porte de nombreuses traces de coups et il n'a pas l'air de bonne humeur.

– Miguel, je te présente Roberto.

– Enchanté.

– Hello ! répond Roberto en refermant la porte. Alors, c'est toi le cousin de France ?

Miguel n'a pas encore répondu que Roberto sort une bouteille de sous l'évier et saisit deux verres sales qu'il passe sous l'eau.

– Désolé, je n'ai pas de vin, je n'ai que du whisky.

– Ce n'est pas grave, explique Miguel, je n'ai pas soif de toute façon.

– Pas soif ? Et depuis quand est-ce qu'il faut avoir soif pour boire de l'alcool ? Allez, vide ça et ne fais pas le bébé.

Il tend un grand verre rempli de whisky et avale d'un trait[76] celui qu'il tient en main :

– À l'amitié entre l'Europe et les États-Unis !

---

75. S'assoupir (v.) : *S'endormir à moitié.*
76. D'un trait (expr.) : *En une seule fois.*

Miguel hésite quelques secondes.

– Tu ne bois pas, toi ? demande-t-il à sa cousine.

– Je ne peux pas, je suis enceinte[77].

Elle sourit à son compagnon qui lui caresse tendrement le visage.

Il se tourne vers Miguel :

– Tu n'aimes pas le whisky ? Désolé mais je laisse la vodka aux Russes et le cognac, c'est pas dans mes prix.

Miguel porte le verre à ses lèvres et boit une gorgée[78].

– Pas la peine de faire durer, reprend Roberto, ce n'est pas une grande cuvée[79]. C'est du premier prix.

– Fous-lui un peu la paix[80], intervient Ana, d'une voix amusée. Tu vois bien qu'il est fatigué.

Roberto sourit :

– Tu veux dormir ? Tu peux prendre notre lit, Miguel. *No problemo*. Moi, je vais faire des courses.

---

77. Enceinte (adj.) : *Qui attend un enfant.*
78. Gorgée (n.f.) : *Quantité de liquide qui tient dans la bouche et qu'on avale en une fois.*
79. Grande cuvée : *Une bonne année (pour le vin). Ici cela signifie que ce n'est pas un alcool de grande qualité.*
80. Foutre la paix (expr.) : *Laisser tranquille.* (fam.)

Il se tourne vers Ana :

– Tu es passée chercher de l'argent ?

– Oh ! j'ai complètement oublié. Avec l'arrivée de Miguel, je ne pensais plus à rien.

– Tu n'aurais pas vingt dollars, cousin ? lance Roberto l'air parfaitement détendu.

Vingt dollars. Qu'est-ce qu'il veut faire avec ça ? se demande Miguel. Acheter une autre bouteille de whisky ?

– Je te les rends tout à l'heure, précise Ana, quand on descendra manger.

Ce n'est pas tellement la somme que cela représente, c'est le principe. Miguel n'emprunterait jamais de l'argent à quelqu'un qui vient d'arriver chez lui pour quelques jours. Il n'emprunterait jamais d'argent tout court, d'ailleurs.

À contrecœur[81], il tend les billets. Roberto le remercie chaleureusement, lui demande s'il a l'intention de finir son verre de whisky, le vide d'un trait à sa place et disparaît dans l'escalier.

– Qu'est-ce qui lui est arrivé ? demande Miguel après quelques très longues minutes de silence.

---

81. À contrecœur (loc. adv.) : *Contre son envie, son désir.*

– Il est tombé de vélo. Peut-être qu'il avait un peu trop bu. Mais il faut dire que c'est dangereux de rouler ici. Moi, je n'oserais jamais.

– Je n'aimerais pas non plus conduire une voiture, répond Miguel.

Ana sourit.

– C'est facile, pourtant, les rues sont larges. Pas comme en Europe. J'aimerais bien y retourner un jour, cela fait si longtemps...

Voilà l'occasion que j'attends, se dit Miguel. C'est le moment.

– Tu as envie de venir en Europe ?

– Oh oui ! reprend-elle avec le même sourire qu'à l'aéroport.

– J'ai peut-être une bonne raison de t'inviter, si ça te tente.

– Ah bon ? demande-t-elle avec des yeux aussi larges que des roues de limousine[82].

Juste à ce moment, la porte s'ouvre et Roberto revient, l'air sombre.

– Ana, faut qu'on aille chercher le matelas, ma belle.

– Pas la peine, reprend Miguel, je ne vais pas vous déranger plus longtemps. Je vais trouver

---

82. Limousine (n.f.) : *Grande voiture.*

un hôtel. C'est très gentil de votre part d'avoir proposé de m'accueillir.

Roberto fronce[83] les sourcils.

– L'hôtel ? Ce n'est pas assez bien pour toi, chez nous, c'est ça ?

Miguel recule par réflexe et cherche un moyen de corriger ce qu'il vient de dire, mais n'en trouve pas.

Roberto joue avec ses doigts comme s'il avait l'intention de frapper quelqu'un. Il s'approche de Miguel :

– Mais je rigolais[84], mon grand ! Tu peux aller à l'hôtel si tu veux. Nous, on avait juste envie de mieux te connaître.

Ouf ! Miguel préfère ça. Mais il n'est pas sûr de bien comprendre l'humour de ses hôtes[85].

– Je peux te parler deux minutes, demande Roberto à Ana.

– Je peux sortir, si vous voulez, suggère Miguel.

– Pas question, tu restes là. C'est nous qui sortons.

---

83. Froncer (v.) : *Plisser. Ici, faire des rides en contractant les sourcils.*
84. Rigoler (v.) : *Rire.* (fam.)
85. Hôte (n.m.) : *Ici, celui qui donne l'hospitalité, qui invite.*

Les deux passent la porte et Miguel entend leurs voix dans le couloir. Même s'ils chuchotent, Miguel reconnaît le ton de la dispute. Quand ils rentrent, ils font tous les deux une tête d'enterrement[86].

– Il y a un problème ? demande Miguel.

– S'il n'y en avait qu'un... répond Roberto.

Il marche jusqu'à la fenêtre, lève les yeux pour apercevoir un coin de ciel et se retourne d'un coup :

– T'as amené combien d'argent avec toi, Miguel, pour le voyage ?

Miguel ne sait pas comment répondre. Il n'a pas l'intention de révéler cette information à un inconnu qui vient de lui emprunter vingt dollars.

L'autre s'approche à pas lents. Ana est sur le lit, les bras croisés autour de sa poitrine, elle fixe le mur comme si elle voulait y compter les taches d'humidité.

– C'est une question simple, non ? reprend-il sans quitter Miguel des yeux.

– Je sais pas.

– Et sur ta carte, tu peux retirer combien ?

---

86. Faire une tête d'enterrement (expr.) : *Avoir un visage sombre.* (fam.)

Miguel est de plus en plus mal à l'aise. Il faut trouver d'urgence un moyen d'échapper à cette situation.

– Si vous avez besoin d'argent, je crois avoir une solution.

Roberto s'arrête, regarde Ana et revient vers leur visiteur :

– Tu veux dire sans risque ?

– Bien sûr, répond Miguel, tout content de reprendre l'avantage. Un héritage. De l'argent qui vous attend à Barcelone : le grand-père d'Ana, mon grand-père aussi. Il est mort. Il nous laisse de l'argent, si on vient le chercher sur place.

Roberto fronce les sourcils :

– Un héritage ? Et tu comptais[87] nous annoncer ça quand ?

– Je ne sais pas. Là, par exemple, je viens de le faire.

– Attends, corrige Ana, ce n'est pas ton argent, Roberto. C'est le mien. Et Miguel n'est pas ton cousin. Hein, Miguel ?

Il secoue la tête sans ouvrir la bouche, se demande combien de temps il lui faudrait pour ouvrir la porte et s'enfuir avec sa valise. Se demande enfin si les deux Américains parviendraient à le

---

87. Compter (v.) : *Ici, avoir l'intention de.*

rattraper. Il a très envie d'essayer, mais il n'a pas envie de renoncer à sa maison en Catalogne.

— C'est chez moi, ici, rappelle Roberto. Quand c'est moi qui dois partager, ça ne te pose pas de problème. Quand c'est dans l'autre sens, tu fais des complications.

— Moi, des complications ? reprend Ana. Mais tu t'es déjà regardé ? Tu as vu la tête que tu as depuis ta chute de vélo ? Moi, je dois vivre avec ça tous les jours.

Tant pis pour la valise, se dit Miguel. Je ne perdrai que quelques caleçons et une cravate.

Roberto a saisi Ana par le col. Sa main droite s'agite à nouveau, comme s'il hésitait à la frapper.

— On ne sait même pas combien c'est, cet héritage, siffle Ana. Si ça se trouve, il n'y a même pas d'argent, juste des dettes[88].

Miguel n'hésite plus. Il profite de la dispute pour foncer[89] vers l'entrée, il tourne la poignée et tire sur la porte. Elle ne bouge pas.

Elle est fermée à clef.

---

88. Dette (n.f.) : *Argent que l'on doit à quelqu'un.*
89. Foncer (v.) : *Se précipiter, aller très vite.*

5

Miguel est assis sur le lit. Ana et Roberto, debout, le regardent l'air furieux.

– Ça ne se fait pas, de partir quand on a été invité, répète Ana.

– On va devoir s'assurer que tu restes avec nous, ajoute Roberto. On pourrait prendre ton passeport comme garantie, par exemple. Ou ton portefeuille. Les deux, plutôt.

Miguel réfléchit aussi vite que le lui permet son cerveau fatigué. Il doit sortir d'ici. Ces deux Américains sont malades.

– Qu'est-ce que vous voulez, exactement ? Mon argent ?

– On ne te veut rien du tout, cousin, reprend Ana, d'une voix très douce. Il faut juste que tu nous en dises plus sur l'héritage qui nous attend en Espagne.

– Pourquoi tu n'es pas allé le chercher tout seul ? demande Roberto. Tu pouvais aller toucher[90] ta part sans nous.

– Eh bien non, justement. J'avais envie de vous rencontrer, moi. De faire la connaissance de ma cousine. De voir New York. Et pour toucher l'héritage, il faut qu'Ana vienne avec moi en Espagne.

Miguel leur explique les dernières volontés du grand-père, la lettre qu'il a reçue et la mission de les retrouver tous les deux.

Roberto est soudain ravi[91] :

– C'est génial, il suffit que tu ailles à Barcelone avec lui pour qu'on reçoive l'argent !

– Exactement, reprend Miguel. C'est tout simple. Et ça peut changer votre vie. Vous pourriez vous acheter des meubles, peut-être même déménager. Je ne sais pas combien il y a d'argent, mais notre grand-père avait l'air très très riche.

Ana semble réfléchir. Roberto la regarde.

– Y a juste un gros problème. Moi, je n'ai pas de quoi payer mon voyage et le passeport.

---

90. Toucher (v.) : *Ici, recevoir, obtenir.*
91. Ravi (adj.) : *Content.*

Roberto renchérit[92] :

– Ah ben oui, on est un peu limite, là, ces derniers temps. Le travail ne rapporte pas grand-chose.

– Si tu pouvais nous avancer l'argent du billet, ajoute Ana, on te le rendrait ensuite, bien évidemment.

– Et les vingt dollars aussi, on te les rendra. Avec intérêts[93], même, si tu veux.

Miguel se sent de plus en plus mal à l'aise. Le ton et les sourires lui semblent faux et lui disent de se méfier.

– Combien est-ce qu'il vous faudrait ?

– Au total ? demande Ana.

Ana et Roberto se regardent. Ils n'ont pas l'air très sûrs d'eux.

– Combien c'est la limite de retrait sur ta carte ?

– Ce n'est pas ça la question, corrige Miguel.

Roberto regarde son téléphone, il semble de plus en plus nerveux.

---

92. Renchérir (v.) : *Ajouter.*
93. Intérêts (n.m.pl.) : *Somme que l'on doit payer quand on emprunte de l'argent (plus on met de temps à rembourser, plus les intérêts sont importants).*

— Ils vont arriver, marmonne[94]-t-il à l'attention d'Ana.

— Qui va arriver ? demande Miguel.

— Les types[95] à qui je dois de l'argent. Je leur avais donné rendez-vous dans un bar, mais comme je ne suis pas venu, ils viennent me chercher, ici.

— Qu'est-ce qu'ils veulent faire ?

— À ton avis ? Ils vont me frapper ou me mettre une balle dans la tête, puis ils rentreront dormir, fiers d'avoir accompli leur devoir.

— Alors, combien est-ce que vous leur devez ? La question n'est pas compliquée.

— Je ne sais pas. Avec les intérêts, ça augmente tout le temps.

— Plus vite on sera partis d'ici, mieux on se portera tous, conclut Miguel. Ouvrez la porte.

Roberto soupire avant d'expliquer :

— Ça ne sert à rien de fuir. Ils nous retrouveront ou ils se vengeront sur un parent ou un ami. La seule façon d'avoir la paix, c'est de payer.

— Il suffit de filer[96] à Barcelone. Comme ça, vous réglez vos problèmes d'argent et vous

---

94. Marmonner (v.) : *Murmurer, prononcer de façon indistincte.*
95. Type (n.m.) : *Homme.* (fam.)
96. Filer (v.) : *Ici, s'enfuir.*

échappez à ces brutes[97]. Tout ce qu'il faut, c'est un moyen d'arriver à l'aéroport en un seul morceau. Un taxi, par exemple.

– Ça ne marchera pas, Miguel, ça ne sert à rien.

– Pourquoi ?

- Je dois vraiment te l'expliquer ? demande Ana.

– Oui, je t'en prie, dis-le-moi. Tu es ma cousine. On se doit bien ça…

– Justement, reprend Ana.

– Justement, quoi ?

Un bruit dans la cage d'escalier inquiète soudain Roberto. Il s'approche de la porte, colle son oreille.

– Merde, ils sont là. Il est trop tard.

Il fonce vers la fenêtre, l'ouvre sans hésiter et se glisse par l'ouverture.

Ana s'approche de l'oreille de son cousin :

– À Barcelone, murmure-t-elle, il n'y a rien du tout. Ramon Perez Arribas est mort il y plus de sept ans. Ce n'est pas lui qui a écrit cette lettre.

Elle court vers la fenêtre et sort à son tour.

---

97. Brute (n.f.) : *Personne violente.*

– Mais ce n'est pas possible ! crie Miguel. Je l'ai lue, la lettre. Qui l'a écrite alors ?

– C'est moi, tiens ! lance Ana, en disparaissant par le même chemin que Roberto.

Miguel est sous le choc. Ana a écrit la lettre ? Mais pourquoi ? Et comment ?

Avant qu'il n'ait trouvé réponse à ces questions, un bruit de bois qui craque lui fait tourner la tête. La porte d'entrée tombe sur le plancher[98] et deux types entrent dans le studio. L'un touche presque le plafond, l'autre lui arrive un peu plus haut que la taille.

– *Dongzuigstenarefouw* ont-ils l'air de dire d'un air très préoccupé.

Le petit court vers Miguel, qui se lève de la chaise. D'un coup violent, l'homme déséquilibre Miguel et le projette au sol. La douleur dans l'épaule est insupportable. Le petit l'a tout de suite deviné et il vient poser son pied juste à l'endroit le plus sensible.

– *Ouairardé*, crie le petit.

– *I dontte spikinne gliche*, répond Miguel.

Même s'il le parle un petit peu, il doit bien avouer qu'il ne comprend rien aux phrases de ces deux-là.

---

98. Plancher (n.m.) : *Sol en bois.*

Les gangsters le dévisagent. Miguel sent que le grand a très envie de le frapper lui aussi. Il s'agit de ne pas l'énerver.

– Ce n'est pas moi que vous cherchez, ce sont eux.

Miguel montre la fenêtre du doigt.

Le deux gars se parlent si rapidement que Miguel n'a même pas le temps d'entendre les mots. Le grand attrape Miguel par l'épaule et le colle contre le mur. Aussitôt, la douleur se réveille. Le petit file par la fenêtre. Il n'en reste plus qu'un, se dit Miguel. Mais c'est celui-là, justement, qui le fouille à la recherche de son portefeuille.

Il le trouve sans peine, l'ouvre d'une main experte, en sort les billets avec un sourire satisfait puis, sans lâcher l'épaule de Miguel, remet le portefeuille à sa place. Il le laisse alors et pose une nouvelle question en anglais.

– *Sorry, I don't spikin gliche* plus qu'avant, reprend l'employé d'assurance qui a perdu la sienne[99] depuis bien longtemps.

La réponse ne doit pas être la bonne car le géant tend le bras et, d'un geste précis, balance

_____

99. Perdre son assurance (expr.) : *Perdre la confiance en soi.*

55

de toutes ses forces son poing dans la figure[100] de Miguel.

Il s'écroule sur le sol, K.-O.

Le géant se penche sur lui, pince sa joue pour vérifier qu'il ne bouge plus et, sans lui jeter un regard, se dirige tranquillement vers la porte d'entrée.

---

100. Balancer son poing dans la figure : *Donner un coup de poing dans le visage.* (fam.)

6

Normalement, quand on s'éveille, on s'étire, on entrouvre les yeux et on reconnaît le lieu familier dans lequel on s'était endormi. Puis, avec quelques bâillements, on finit par trouver l'énergie de se mettre debout.

Quand Miguel revient à lui[101], sa tête et son épaule lui font horriblement mal. Il ne sait plus où il se trouve. Devant lui, un plancher en bois usé, des vêtements roulés en boule, de la vaisselle sale et même de vieux restes de nourriture. Il se traîne lentement vers la porte d'entrée. Un regard à gauche puis à droite. Il n'y a personne. Les souvenirs lui reviennent peu à peu : les deux brutes en costume sombre, l'étrange cousine et son compagnon aux airs de tueur fou.

---

101. Revenir à soi : *Retrouver ses esprits, se réveiller après avoir perdu connaissance.*

Pas question de rester ici une minute de plus.

Miguel rassemble ses forces et s'assied sur le sol. La tête lui tourne un peu. Il regarde l'heure : sa montre indique l'heure de Carcassonne. Ça ne l'aide pas beaucoup. Il prend une grande inspiration et avance à quatre pattes jusqu'à la table. Il réussit à se mettre debout et parvient même à conserver l'équilibre.

La valise et *partir*. Deux objectifs très simples, qu'il suffit d'enchaîner[102] dans le bon ordre. D'abord, récupérer la valise, ensuite descendre l'escalier, rejoindre la rue et monter dans le premier taxi qui passe.

Qu'il suffit de... bien entendu.

Miguel attrape son bagage et le soulève du sol pour atteindre la porte cassée. Quel soulagement de poser le pied dans l'escalier ! Ça va aller. Jusqu'ici, il a multiplié les erreurs, mais c'est fini. Maintenant ça va aller...

Il descend doucement pour ne pas faire de bruit, mais des voix étouffées[103] montent de la cage d'escalier. Pas de panique ! Six appartements par étage, six étages dans le bâtiment, cela en

---

102. Enchaîner (v.) : *Faire des choses à la suite les unes des autres.*
103. Étouffé (adj.) : *Pas très fort, faible (pour un bruit).*

fait des gens qui peuvent chuchoter. Miguel s'arrête, penche la tête par-dessus la rampe[104] pour regarder en bas.

Est-ce que quelque chose a bougé là, dans l'ombre ? Un visage ? Les voix se sont tues. L'air semble chaque seconde plus épais dans la cage d'escalier, comme si la tension le rendait palpable[105].

Miguel ne parvient pas à se rassurer. Peu importe. Il serre la poignée de la valise et descend l'escalier. C'est à hauteur du deuxième étage que les policiers jaillissent[106] de tous côtés. Il y en a un sur le palier[107] supérieur, qui lui bloque la route, et deux en bas, qui l'attendent. Miguel n'a rien à se reprocher. Il sourit aux agents et tente de passer à côté d'eux.

Un policier moustachu lui récite alors un long texte en anglais, où il comprend au moins deux mots : *under arrest*. En état d'arrestation.

– *Sorry*, s'excuse-t-il en posant la valise. Je n'ai rien fait. *I is innocent*.

---

104. Rampe (n.f.) : *Barre qui permet de se tenir dans un escalier.*
105. Palpable (adj.) : *Que l'on peut toucher.*
106. Jaillir (v.) : *Surgir, apparaître brusquement.*
107. Palier (n.m.) : *Surface d'un étage en haut d'une série de marches.*

Innocent, tu parles. Comme si on n'était pas tous coupables depuis toujours. Miguel se demande tout de même ce qu'on lui reproche. On ne le lui explique pas. Enfin, pas dans une langue qu'il comprend. Avant même d'avoir saisi ce qui lui arrive, Miguel Perez Arribas se retrouve à l'arrière d'une voiture de police, en route pour le commissariat de Harlem.

On lui a retiré ses lacets[108], sa ceinture, ses papiers et sa montre, on a pris sa valise et son téléphone puis, sans même l'interroger, on l'a jeté dans une cellule[109] avec un tas de types qui ont l'air de bien connaître les lieux. Ces gars-là ont assurément[110] la carte de fidélité[111]. Miguel a faim et soif. Il demanderait bien à boire et à manger, mais quelque chose lui dit que plus il réclamera[112] moins il obtiendra.

Il s'assied à l'extrémité d'un long banc, pas loin d'un grand Noir qui a retiré ses chaussures

---

108. Lacet (n.m.) : *Sorte de fil ou petite corde servant à attacher les chaussures.*
109. Cellule (n.f.) : *Petite pièce d'une prison dans laquelle on enferme un prisonnier.*
110. Assurément (adv.) : *Certainement.*
111. Carte de fidélité : *Carte qui permet aux clients réguliers d'un magasin ou d'un restaurant d'obtenir des réductions. Ici cela signifie que les autres détenus sont sans doute des habitués.*
112. Réclamer (v.) : *Demander.*

et gratte consciencieusement les peaux mortes entre ses orteils avec deux doigts de la main gauche. Plus loin, un vieux en anorak[113] chantonne en se balançant sur un pied. Celui-là serait sans doute plus à sa place dans un asile[114]. D'ailleurs, il n'est pas le seul. Un homme passe d'un type à l'autre avec un micro imaginaire et prétend être animateur radio. Il pourrait lui tenir compagnie.

Miguel aussi aurait sa place ailleurs, c'est certain. Dans un bon lit par exemple. Dans un consulat bien chauffé, dans un jet privé en direction de la France, à la limite dans un palace avec vue sur l'Hudson. Ou encore dans une tenue de jogging sur les remparts[115] de Carcassonne. En tout cas pas dans cette horrible pièce humide entre des croûtes de pieds et des cris d'ivrogne[116].

Quand l'homme au faux micro vient l'interviewer, Miguel répond qu'il ne parle pas anglais. Moi non plus, lui répond le dingue[117] et il s'éloigne en parlant de drogue et de gamins violés.

---

113. Anorak (n.m.) : *Manteau, parka.*
114. Asile (n.m.) : *Ici, maison de fous.*
115. Rempart (n.m.) : *Muraille, épais mur de protection.*
116. Ivrogne (n.m.) : *Alcoolique.*
117. Dingue (n.m.) : *Fou.* (fam.)

Les heures passent. Interminables. En tête-à-tête avec soi-même, exactement comme une messe [118] d'enterrement. Celle de son propre enterrement.

Enfin, un policier crie son nom, avec un accent espagnol si parfait que Miguel a l'impression d'entendre la voix de son grand-père.

L'agent le conduit jusqu'à un petit bureau où un gros officier de police l'accueille :

– On peut faire l'interrogatoire [119] en espagnol, si vous acceptez. On ne trouve pas d'interprète [120] pour le français en ce moment.

Miguel donne son accord et on le conduit dans un autre bureau où on lui explique la situation. Rien de bien grave, en somme. On l'accuse simplement de trafic de stupéfiants [121] (les policiers ont trouvé dans sa valise douze grammes de cristal, une drogue assez populaire dans le quartier où il a failli loger) et du meurtre [122] d'un dealer assassiné de deux balles dans la poitrine quatre semaines plus tôt.

---

118. Messe (n.f.) : *Cérémonie religieuse.*
119. Interrogatoire (n.m.) : *Ensemble de questions posées pendant un entretien, ici, avec la police.*
120. Interprète (n.m.) : *Traducteur.*
121. Stupéfiant (n.m.) : *Drogue.*
122. Meurtre (n.m.) : *Action de tuer quelqu'un.*

Miguel Perez Arribas a l'impression que l'Empire State vient de lui tomber sur les épaules. Il ne sait même plus par où commencer. Tout nier[123] ? Proclamer[124] son innocence ? Ne serait-il pas plus facile de plaider coupable[125] et de s'accuser en plus de l'assassinat de JFK et de l'attentat[126] contre Ronald Reagan ? On le déclarerait fou et il... finirait en prison comme tous les autres, ou plutôt à l'asile.

Soyons logiques : il y a quatre semaines, il n'avait jamais mis les pieds aux États-Unis. Ça, ça doit être facile à prouver.

Pour les cristaux dans son sac, évidemment, l'alibi[127] marche moins bien.

– Et mon avocat ? Je n'ai pas droit à un avocat comme tout le monde ? demande-t-il.

Le flic chargé de l'interrogatoire hausse les épaules, signale qu'ils ont un problème de téléphone pour le moment dans la zone des cellules

---

123. Nier (v.) : *Contester, dire que l'on n'a pas fait quelque chose.*
124. Proclamer (v.) : *Déclarer, affirmer.*
125. Plaider coupable (expr.) : *Au cours d'un procès, se défendre mais en reconnaissant être coupable (avoir commis le délit dont on est accusé).*
126. Attentat (n.m.) : *Attaque contre des personnes ou des institutions.*
127. Alibi (n.m.) : *Preuve que l'on ne pouvait pas être là au moment d'un crime.*

et qu'il va falloir attendre pour appeler. Ça tombe bien, Miguel n'a rien de mieux à faire.

— On avait dit qu'on voulait seulement lui prendre de l'argent, hurle Ana à Roberto, qui lui tourne le dos.

Il examine la porte d'entrée du studio, en si mauvais état qu'il va devoir la remplacer.

— Et alors ? Si on voulait de l'argent, c'était pour rembourser mes dettes. C'est réussi : la dette est effacée.

— Oui, mais mon cousin voulait simplement me rencontrer et il se retrouve accusé d'un meurtre qu'il n'a pas commis !

Roberto rigole :

— Te rencontrer ? Il est venu ici parce qu'il avait besoin de toi pour toucher un héritage. Il voulait le fric[128], voilà tout. Exactement comme toi et moi. Il cherchait la même chose, pas de la même manière, peut-être, mais...

Ana se lève et commence à ramasser ce qui traîne par terre.

— Ça fait toute la différence, Roberto. Il ne voulait faire de mal à personne. Nous, on l'a

---

128. Fric (n.m.) : *Argent.* (fam.)

piégé[129] volontairement. Et maintenant il est accusé d'un crime qu'il n'a pas commis[130].

– Tu te fatigues pour rien, je n'irai pas voir les flics. Ce cousin, tu ne l'avais jamais rencontré. Qu'est-ce que ça peut te faire s'il va en prison ?

Ana s'arrête un instant, une boîte de conserve entre les mains.

C'est quand même mon cousin, se dit-elle, puis elle corrige aussitôt. Si elle l'a choisi lui, justement, c'est pour ça. Parce que son père et son grand-père lui ont appris à le détester depuis toujours, lui et sa famille. Surtout son père. Elle espérait lui soutirer[131] de l'argent. Deux ou trois mille dollars. Presque rien par rapport à la magnifique villa qu'il pensait pouvoir obtenir. Elle ne se trompait sans doute pas : il est venu, il y a cru. Ils auraient pu obtenir beaucoup d'argent de lui. Si Roberto...

– Parce qu'il n'a rien fait de mal, tout simplement. Tu as bien vu que c'est un brave type...

Ana ne va pas jusqu'au bout de sa pensée. Roberto pousse la logique un peu plus loin :

---

129. Piéger (v.) : *Mettre quelqu'un dans une situation difficile par la ruse.*
130. Commettre (v.) : *Faire.*
131. Soutirer (v.) : *Obtenir quelque chose par la ruse.*

– Tu trouverais ça plus juste que je sois à sa place, simplement parce que j'ai perdu des paris[132], un soir où j'avais trop bu ?

– Vingt mille dollars, Roberto. Tu as parié vingt mille dollars que tu n'avais pas, sur un combat de chiens...

– J'espérais les regagner. J'aurais pu repartir avec quarante mille si cette espèce de machine à tuer n'avait pas laissé un chiot lui manger les oreilles.

Ana soupire.

– Tu sais très bien que ces combats sont truqués[133]. Mais chaque fois, c'est la même chose, tu y retournes quand même et tu te fais avoir. Un vrai gosse[134] !

Roberto se tourne vers Ana, vexé[135]. Il balance son pied dans une pile de vêtements.

– Tu n'en sais rien, tu n'es même jamais venue.

– J'ai pas besoin d'y aller pour voir le résultat.

– Gnagnagna...

---

132. Pari (n.m.) : *Ici, jeu d'argent dans lequel on espère la victoire de celui sur qui on a mis de l'argent.*
133. Truqué (adj.) : *Faussé.*
134. Gosse (n.m.) : *Enfant.* (fam.)
135. Vexé (adj.) : *Contrarié, humilié.*

– Et quand est-ce qu'ils t'ont proposé de laisser tomber la dette ?

– T-J m'a donné rendez-vous il y a deux jours, il m'a dit que je n'avais pas le choix. Comme je n'avais pas amené l'argent à temps, je devais faire de la prison à leur place. Une histoire de meurtre par balles pour laquelle la police ne les lâche pas depuis des semaines.

Ana est assise sur le sol, son visage est fermé. Elle attend la suite.

– Alors, j'ai pensé à ton cousin qui devait arriver. Il venait juste de te confirmer qu'il avait acheté un billet d'avion. Je me suis dit que, lui, il pouvait très bien faire de la prison à ma place. Même si on n'arrivait pas à lui voler de l'argent, il serait utile et je serais sauvé.

– Pourquoi tu ne m'en as pas parlé ?

– J'avais peur que tu paniques et que tu l'empêches de venir.

– T'es un pauvre type. Tu crois sauver ta peau et tu compliques tout ! On avait tout préparé... Qu'est-ce que tu crois ? Qu'il va se dire qu'il a vraiment tué le gars[136], mais qu'il a tout oublié ? Non, il devinera qu'on lui a tendu un piège et,

---

136. Gars (n.m.) : *Homme.* (fam.)

franchement, à part nous, je ne vois pas qui il peut soupçonner[137]. Il suffit qu'il parle à la police, qu'il donne notre adresse et notre description. Il pourra facilement convaincre la police qu'il n'est pas l'assassin, il n'y a qu'à jeter un œil à son passeport pour comprendre qu'il n'était pas aux États-Unis au moment du meurtre.

– Tu crois que ça va nous retomber dessus[138] ?

– Fatalement. Il y a que nous qui pouvons l'avoir accusé. D'ailleurs, je me demande bien comment la police est tombée sur son nom.

– Facile. J'ai parlé avec deux indicateurs[139] du quartier, je leur ai expliqué que j'avais vu ton cousin tuer le gars. Pour la police, ça donne deux sources[140] indépendantes qui racontent la même chose, ça leur suffit.

– Et comment est-ce que la police a su qu'il était chez nous ?

– Un coup de fil anonyme[141], du téléphone public chez l'épicier au coin.

---

137. Soupçonner (v.) : *Supposer, deviner qui est le coupable.*
138. Ça va nous retomber dessus : *C'est nous qui allons avoir des ennuis.* (fam.)
139. Indicateur (n.m.) : *Personne qui renseigne les policiers sur ce qui se passe dans les milieux criminels.*
140. Source (n.f.) : *Origine d'une information.*
141. Anonyme (adj.) : *Dont on ne connaît pas l'identité.*

– Tu veux dire celui qui a placé des caméras de surveillance partout dans sa boutique pour pas qu'on vole ses chips ?

Roberto baisse les yeux, regarde le parquet avec attention.

– Tu as téléphoné de chez l'épicier, en espérant qu'on ne te repérerait pas ?

– Euh, ouais, je crois...

Ana soupire. Elle se lève d'un bond, marche jusqu'à la fenêtre et, d'un large geste du bras, jette la boîte de conserve vide dans la rue.

La chute est suivie d'un bruit de métal et de cris étouffés. Roberto rigole. Il s'approche d'Ana, passe un bras derrière son épaule.

– Bon, d'accord, j'ai fait une grosse connerie[142]. Mais ça aurait pu marcher. Et puis les flics ne sont pas toujours malins, hein ? Si ça se trouve[143], ils vont vraiment le mettre en prison, ton cousin.

Ana se retourne et l'embrasse, le dos collé contre la vitre. Au loin, on entend monter le hurlement répétitif d'une sirène[144].

---

142. Connerie (n.f.) : *Bêtise.* (fam.)
143. Si ça se trouve (loc. adv.) : *Il n'est pas impossible.* (fam.)
144. Sirène (n.f.) : *Alarme (de police ou d'ambulance).*

7

Quand on vient chercher Miguel dans la cellule collective, il est près de s'évanouir[145]. Il a toujours aussi soif, bien plus faim encore et l'impression que l'urine[146] va lui remonter par les narines. Il marche vers la porte en métal renforcé en serrant les cuisses[147], à pas mesurés.

— Il y a quelque chose qui ne va pas, mon grand ? demande le policier avant de lui passer les menottes[148].

Miguel n'ose pas raconter tous ses problèmes. La liste est trop longue, il préfère la garder pour lui.

---

145. S'évanouïr (v.) : *Perdre conscience.*
146. Urine (n.f.) : *Liquide de couleur jaune qui évacue les déchets du corps, pipi.*
147. Cuisse (n.f.) : *Partie supérieure de la jambe.*
148. Menottes (n.f.) : *Bracelets en métal que l'on met aux poignets des prisonniers.*

– T'as pas un petit creux ? insiste le policier. Tu as de la visite. J'ai pas envie que tu dises qu'on ne t'a pas bien traité. Ton visiteur prétend être ton avocat[149], mais on n'y croit pas trop.

Miguel ne comprend pas ce qui se passe. Il ne répond rien, il attend.

– C'est là que je t'accompagne. Une salle d'interrogatoire, rien que pour vous deux. Un tête à tête[150] en amoureux. Ça te va ?

Miguel ne sait pas à quoi s'attendre. Un des tueurs de l'appartement ? Un nouvel inconnu sorti tout droit de n'importe où pour raconter n'importe quoi ?

Le temps de faire le tour de la question, le voilà devant la porte en bois. Le policier ouvre et Miguel se retrouve nez à nez avec Roberto, qui a, pour l'occasion, enfilé[151] une sorte de costume cravate tout froissé[152], d'une couleur indéfinissable, située quelque part entre le vert, le marron et le gris.

– Maître, euh, maître… ? demande Miguel.

---

149. Avocat (n.m.) : *Personne chargée de défendre quelqu'un devant un tribunal.*
150. Tête à tête : *Rencontre à deux.*
151. Enfiler (v.) : *Mettre (pour un vêtement).*
152. Froissé (adj.) : *Avec des plis, pas repassé.*

— Zingaro. Je suis envoyé par votre cousine. Voulez-vous bien nous laisser, s'il vous plaît, mon brave, ajoute-t-il à l'attention du policier.

La porte se referme et le visage de Roberto fait de même.

— Les flics ne pensent pas le moins du monde que tu es un avocat, commence Miguel.

— Peu importe. Je ne suis pas là pour rire, Miguel. Écoute bien ce que je vais te dire parce que je n'ai pas envie de répéter. C'est compris ?

Miguel prend une longue inspiration et s'assied sur la table, les pieds sur la chaise.

— Tu es dans une belle merde, explique Roberto. Ils ne rigolent pas ici avec les meurtres par balles. Ton visa d'entrée aux États-Unis ne suffira pas à prouver ton innocence. Mais moi, je peux te sortir de là. Je peux m'arranger pour que les deux types qui ont témoigné[153] contre toi changent leur histoire. Pour la drogue, pas de problème, je dirai que c'est moi qui l'ai cachée dans ta valise.

— Et ?

— Et tu seras libre comme l'air, tiens.

---

153. Témoigner (v.) : *Faire une déclaration en justice.*

Miguel se sent tout d'un coup extrêmement fatigué. Il n'entend plus que son ventre vide. Il en a assez des explications des uns et des autres.

– Je suis innocent, je suis prêt à aller devant le juge, Roberto.

– Dans trois mois ? Tu as déjà fait de la prison ? Tu ne tiendras pas trois jours. Pas deux heures, à vrai dire. Une vraie prison, ici, ça n'a rien à voir avec ta cellule de luxe, là derrière. Tu es mignon, tu auras beaucoup de succès. Tu sais ce qu'on appelle la nuit de noces[154], ici dans l'État de New York ?

– C'est bon, vas-y, dis-moi ce que tu attends de moi.

– Pas grand-chose. J'ai trois coups de fil[155] à passer pour que tout soit réglé. Il n'y a qu'un point sur lequel nous devons nous mettre d'accord.

Roberto laisse le silence peser sur la pièce avant de reprendre :

– C'est juste une question de prix. Des témoins, ça s'achète. Ce n'est pas bon marché, mais ce n'est pas impayable.

– Combien ?

154. Nuit de noces : *Première nuit du mariage. Ici, allusion au fait qu'il risque de se faire violer.*
155. Coup de fil : *Coup de téléphone.* (fam.)

– Ils demandent dix mille chacun. Vingt mille en tout. Tu envoies un transfert international et moi je fais le reste.

– Si je comprends bien : tu me pièges et puis tu me demandes vingt mille dollars pour me sortir de là ?

Roberto sourit. Miguel n'a jamais vu le visage du compagnon d'Ana s'éclairer ainsi : ses yeux s'illuminent[156] et les dents qui lui restent semblent presque blanches.

– Faut pas le voir comme ça, Miguel. C'est ma faute si tu te retrouves dans cette situation, c'est vrai. C'est bien normal que j'essaie de t'aider. Tu préfères crever[157] ici ?

– Ana sait que tu es là ?

– C'est elle qui m'envoie, confesse[158] Roberto. Elle serait furieuse si elle apprenait que je t'ai dit ça mais c'est la vérité.

– Vingt mille dollars ! Comment est-ce que je pourrais trouver une somme pareille ? Si j'étais en France, ce serait facile. Je passerais à ma banque et ce serait réglé.

– Tu ne peux pas les appeler ?

---

156. S'illuminer (v.) : *Briller.*
157. Crever (v.) : *Mourir.* (fam.)
158. Confesser (v.) : *Admettre, avouer.*

— Avec quel téléphone ? On m'a confisqué[159] le mien.

— Si c'est ton seul problème...

Roberto se penche pour fouiller l'intérieur de sa chaussure et en ressort un smartphone ultraplat.

— Roberto Phone Company à votre service...

Miguel prend le téléphone et regarde l'écran pendant quelques secondes.

— Je ne connais pas le numéro par cœur[160]...

— Ce n'est pas un problème. Tu ne vas pas prétendre qu'Internet n'a pas la réponse à ta question, sourit Roberto.

Il fait glisser son doigt sur l'écran et le navigateur[161] s'ouvre sur la page du moteur de recherche.

— Vas-y, Miguel, je te laisse faire.

Un peu forcé, Miguel reprend le téléphone en main. Au bout de trois minutes, il trouve le numéro.

---

159. Confisquer (v.) : *Prendre, conserver pour un temps limité les biens de quelqu'un.*
160. Par cœur (loc. adv.) : *De mémoire.*
161. Navigateur (n.m.) : *Logiciel permettant de consulter des sites Internet (exemples : Safari, Firefox, Google Chrome…).*

– À toi de jouer : appelle ta banque et demande un transfert de fonds[162] international.

Vingt mille dollars, pense Miguel, ma banque ne sera jamais d'accord. Ce type est fou. Mais si je refuse, il va peut-être me frapper...

– Je ne sais pas si la banque va accepter, si ce n'est pas viré[163] sur un compte en banque.

– Si tu n'appelles pas, en tout cas, elle ne risque pas d'accepter.

Miguel forme le numéro. Porte le téléphone à son oreille.

– Non, attends, je mets le haut-parleur.

La tonalité résonne dans la petite pièce. Après quelques secondes de silence, une douce voix féminine signale en anglais que le crédit de l'abonné est insuffisant pour passer cet appel.

– Merde ! lâche Roberto.

– Ne t'inquiète pas, je t'ai dit que je te verserais[164] l'argent : je le ferai. Tu as ma parole. Je ne suis pas un sale type. Et je sais que j'ai pas intérêt à te faire un sale coup non plus.

– Tu as tout compris.

---

162. Transfert de fonds : *Action de faire passer de l'argent d'un compte à un autre, d'un lieu à un autre.*
163. Viré (adj.) : *Transféré.*
164. Verser (v.) : *Ici, envoyer, donner.*

– Tu peux me faire sortir ? Dès que je suis dehors, je t'envoie l'argent.

Roberto hésite. Si le Français ne paie pas, quels moyens de pression aura-t-il ? Beaucoup. La batte[165] de base-ball dans les chevilles[166], d'abord. Puis les copains dans un coin sombre. La poursuite à moto dans les rues de Harlem... Il va falloir qu'il se décide rapidement.

Des coups répétés contre la vitre annoncent la fin de l'entretien.

La porte s'ouvre.

– Il est l'heure, messieurs.

Roberto a juste le temps de glisser le téléphone dans sa chaussure et de se redresser. Il fait semblant de réajuster[167] sa cravate.

– Notre conversation a été très utile, précise-t-il à l'attention du policier qui n'écoute même pas.

Il est déjà dans le couloir, traînant Miguel par le coude jusqu'à sa cellule sombre. Le prisonnier ne lève pas les yeux, mais quand une horrible odeur d'urine lui monte au nez, il demande

---

165. Batte (n.f.) : *Sorte de bâton utilisé au base-ball.*
166. Cheville (n.f.) : *Partie de la jambe entre le pied et le mollet.*
167. Réajuster (v.) : *Remettre en place.*

au gardien s'ils peuvent faire étape quelques minutes.

Miguel se jette sur le robinet et boit un litre sans respirer, glisse son visage sous le jet d'eau fraîche et se précipite jusqu'aux toilettes. Jamais l'expression « soulager sa vessie » ne lui a semblé plus juste.

8

Comment tout cela a-t-il commencé ? Quand les choses ont-elles vraiment dérapé[168] ? Miguel ne sait plus très bien lui-même. Quand il a reçu la lettre de son grand-père ou quand il a décidé, comme un imbécile, de prendre l'avion pour New York... ? Impossible de le savoir avec précision. Peut-être que tout avait déjà dérapé beaucoup plus tôt. Quand il travaillait paisiblement à agrafer des feuilles et apposer[169] des tampons.

Le faux reporter s'approche une fois de plus. Miguel le laisse s'asseoir entre le gratteur d'orteils et lui. Il n'attend pas la question et se penche

---

168. Déraper (v.) : *Sortir du chemin prévu. Ici, Miguel se demande quand il a perdu le contrôle des choses.*
169. Apposer (v.) : *Mettre.*

sur le micro imaginaire. Il se met à parler à voix haute, en français.

– Je voulais vous dire, les amis, que je ne vous connais pas bien, mais...

– La ferme[170] ! crie un barbu assis sur le banc d'en face.

C'est alors que la porte en métal s'ouvre.

– Perez Arribas, c'est l'heure de la promenade.

La promenade ? Quelle promenade ?

Miguel se lève et quitte la cellule.

Le commissaire en personne a tenu à s'excuser. Les deux témoins ont changé leur version des faits, le commissaire a admis que ça arrivait de plus en plus souvent. Il sait que ce sont de faux témoins, payés pour accuser une personne gênante[171], selon les besoins de quelqu'un de très riche.

– Pour les stupéfiants qu'on a trouvés dans votre valise, les experts du labo ont bien ri. Ce sont juste des bouts de plastique coloré. Rien

---

170. La ferme ! (expr.) : *Silence ! Tais-toi !* (fam.)
171. Gênant (adj.) : *Dérangeant, qui pose problème.*

d'illégal, je vous assure. Vous pouvez les ramener en France, si vous voulez.

Au moment où le commissaire termine sa conversation et se lève pour lui serrer la main, Miguel lui pose une dernière question.

– Je suis désolé, commissaire, mais je n'ai rien avalé depuis l'atterrissage de mon avion. Je meurs de faim. Est-ce que vous auriez des bananes, un sandwich, un donut ou quoi que ce soit ? J'ai peur de tourner de l'œil, si je sors dans la rue sans manger. Je peux payer, ce n'est pas le problème.

Cinq minutes plus tard, Miguel est assis à côté de deux policiers qui regardent la télévision. On lui a apporté deux épais hamburgers, un seau de frites et un immense gobelet[172] de soda. Miguel mange lentement, pour aider la digestion[173].

– J'ai une question à vous poser, demande-t-il aux deux policiers attablés[174]. Vous auriez un plan de la ville ?

---

172. Gobelet (n.m.) : *Sorte de verre sans pied.*
173. Digestion (n.f.) : *Transformation des aliments dans l'organisme.*
174. Attablé (adj.) : *Assis à table.*

— Bien sûr, répond le plus maigre des deux, un barbu avec une tête en forme de cacahuète. Là, sur le mur.

Miguel se lève. Il boit son soda en examinant le plan de l'île de Manhattan.

— Et nous sommes où, exactement ?

L'autre policier se lève pour indiquer l'emplacement.

Miguel plie la jambe droite vers l'arrière et prend son pied en main pendant une bonne minute sans quitter le plan des yeux. Dans quelques instants, il répétera l'opération avec l'autre jambe.

D'après ce qu'il a regardé sur le mur, Miguel devrait marcher cinq blocs pour rejoindre la station de métro la plus proche. La lumière du jour l'aveugle[175] un instant à la sortie du commissariat, mais il se reprend dès qu'il aperçoit deux silhouettes familières, au coin de la rue. Ana et Roberto sont assis sur l'escalier d'une maison joliment fleurie.

— Miguel, on est là !

---

175. Aveugler (v.) : *Empêcher de voir.*

Roberto agite les bras, depuis l'autre trottoir. Les passants marchent à grands pas, pressés d'arriver là d'où ils seront pressés de repartir un peu plus tard.

— Alors, ça va, pas trop dur, la prison ?

— J'ai survécu, c'est l'essentiel.

— Allez, viens, je t'offre un verre pour fêter ta sortie.

Miguel hésite un instant, pose son regard sur Roberto puis sur sa cousine. Les deux semblent mal à l'aise.

— Ça n'a pas été simple, tu sais. J'ai dû vendre ma voiture pour avancer l'argent, reprend Roberto.

Il ment mal, se dit Miguel, la main serrée autour de la poignée de sa valise.

Que contient-elle ? Rien de très intéressant. Des chaussettes et des caleçons, une tenue de sport.

— OK, on va prendre un verre, je n'ai rien bu de la journée. Où va-t-on ?

Les deux Américains se regardent un instant, Ana évoque une pizzeria, Roberto parle d'un bar, Miguel pointe du doigt un restaurant de quartier, de l'autre côté de la rue.

— Pas besoin d'aller très loin. Ils doivent avoir de la bière là-dedans.

Ils entrent tous les trois, Roberto s'installe sur une banquette[176] près des WC, Ana s'assied à côté de lui et Miguel pose sa valise.

— J'ai rechargé mon téléphone, annonce Roberto. Cette fois-ci, on peut appeler.

Miguel regarde l'horloge sur le téléphone.

— À cette heure, la banque est fermée, malheureusement.

Roberto se raidit[177] sur la banquette, les yeux sombres et brillants.

— Tu trouves chaque fois une excuse. Je croyais que tu étais un homme de parole[178].

— Je suis un homme de parole, vous le savez tous les deux. J'ai dit que je venais à New York. Je suis là, non ?

Miguel sent la tension monter au lieu de retomber.

— Vous feriez bien de vous calmer tous les deux, recommande Ana. D'ailleurs voilà nos bières. Cela fera du bien à tout le monde de boire un coup.

---

176. Banquette (n.f.) : *Siège pour plusieurs personnes.*
177. Se raidir (v.) : *Se tenir tout à coup très droit, se contracter.*
178. Être un homme de parole (expr.) : *Être un homme qui tient ses promesses, qui ne ment pas.*

Le garçon dépose les trois verres sur la table ronde. Miguel s'empresse[179] de les distribuer.

– Honneur aux dames, annonce-t-il en posant la première chope[180] devant sa cousine.

Il place la deuxième face à Roberto et saisit la sienne pour proposer un toast. D'un mouvement maladroit, il renverse le verre qu'il vient de poser. Comme un tsunami miniature[181], la vague de bière s'abat[182] sur la chemise et le pantalon de Roberto. Celui-ci jure[183] à plusieurs reprises.

Miguel se lève aussitôt :

– Ne bouge pas, je vais chercher des serviettes.

Il se précipite vers le bar à grandes enjambées[184], respire un grand coup et, sans se retourner, passe les doubles portes qui donnent sur le trottoir. Dans son dos, il a l'impression d'entendre hurler sa cousine.

Trop tard, il a déjà quelques mètres d'avance. Sans se retourner, Miguel fonce droit devant, dans la direction qu'il a étudiée sur le plan. Il

---

179. S'empresser (v.) : *Se dépêcher.*
180. Chope (n.f.) : *Sorte de grande et grosse tasse (en général pour boire de la bière).*
181. Miniature (adj.) : *Petit.*
182. S'abattre (v.) : *Tomber sur.*
183. Jurer (v.) : *Blasphémer, pester, dire des gros mots.*
184. Enjambée (n.f.) : *Grand pas.*

déplie ses longues jambes, espérant de toutes ses forces que les feux de circulation ne le retardent pas. Arrivé au premier carrefour, il coupe en diagonale, entre un taxi et un camion de livraison à l'arrêt. New York est plus fréquenté que les remparts de Carcassonne. Il monte sur le trottoir, slalome entre deux hommes sandwichs.

Au bout de la rue, Miguel sent que sa cousine et son compagnon se sont lancés à sa poursuite. Il prend brusquement à gauche, dans un passage étroit entre deux magasins. Il espère que la petite rue donnera sur autre chose qu'une cour intérieure... Finalement, elle mène droit à un petit jardin, fermé sur la droite par une haute barrière en bois. Miguel réfléchit très vite : il entend les pas dans son dos, impossible de faire demi-tour. Une poubelle est rangée contre la barrière, il pose un pied dessus et passe par-dessus la clôture[185].

Il atterrit dans un second jardin, parfaitement identique au premier, avec le même passage qui retourne vers la rue. Il s'y enfonce, sans un bruit, tentant de repérer les pas de ses poursuivants. Il lui semble les entendre pénétrer à leur tour dans le passage qui mène au premier jardin.

---

185. Clôture (n.f.) : *Barrière.*

Il retient son souffle une seconde et rejoint la rue principale. Ses poursuivants n'y sont pas !

La stratégie a fonctionné.

Le temps qu'ils explorent le premier jardin, passent dans le second, il sera loin déjà.

– Il est là, hurle la voix d'Ana.

Elle a fait demi-tour dans le premier passage. Le juron de Roberto semble dangereusement proche. Miguel accélère aussitôt. Il faut qu'il reprenne de l'avance !

De grands mouvements, une respiration régulière. Miguel connaît les clefs d'une course réussie. La vitesse n'est pas tout, loin de là. C'est la souplesse[186] qui compte. Ne faire qu'un avec le terrain, le comprendre, anticiper les efforts à venir et les avantages à prendre. Un groupe d'adolescents remonte le trottoir, Miguel s'élance en plein milieu, les bras dressés comme un cycliste en première ligne pour franchir la ligne d'arrivée et il hurle en français :

– Laissez-moi passer ! Laissez-moi passer !

Les ados s'écartent et le regardent s'éloigner. Ils tournent le dos à Roberto qui arrive comme une boule de bowling, droit au milieu

---

186. Souplesse (n.f.) : *Capacité d'adaptation.*

des quilles[187], à pleine vitesse. Il percute[188] un premier chevelu[189] à casquette, sauve son équilibre en s'accrochant à un deuxième, mais ne peut éviter le coude du troisième. Le choc est si puissant que le bruit couvre celui de la circulation. Des taxis ralentissent, un motard[190] s'approche du trottoir pour observer la scène. Il retire son casque pour ébouriffer[191] ses cheveux et c'est à ce moment précis qu'Ana lui donne un coup de poing dans la tempe.

Le motard lâche son casque, elle le ramasse et l'utilise pour cogner l'homme à nouveau. Dix secondes plus tard, c'est elle qui zigzague entre les voitures à l'arrêt pour rejoindre le trottoir où Miguel a repris son avance.

À petite vitesse, elle profite de l'entrée d'un garage pour monter sur l'espace réservé aux piétons. Elle klaxonne et fonce droit sur sa cible[192].

---

187. Quille (n.f.) : *Pièce de bois qu'on essaie de renverser pendant une partie de bowling.*
188. Percuter (v.) : *Heurter, cogner avec violence.*
189. Chevelu (adj. employé comme nom) : *personne qui a de longs et d'épais cheveux.* (fam.)
190. Motard (n.m.) : *Conducteur de moto.*
191. Ébouriffer (v.) : *Mettre en désordre (en parlant des cheveux).*
192. Cible (n.f.) : *Ce qui est visé dans une attaque, objectif. Ici, c'est Miguel qui est visé.*

Miguel jette un œil[193] par-dessus son épaule, aperçoit la moto juste à temps pour traverser la rue et s'élancer sur le trottoir opposé.

Quelques dizaines de mètres plus loin, Roberto a repris ses esprits et tente de rattraper son retard, encore un peu sonné[194]. Ana hésite à l'attendre pour le charger sur sa moto, mais finit par s'élancer à son tour pour traverser la chaussée quand elle comprend que Miguel va filer dans la première rue à droite.

Elle tourne à fond la manette[195] des gaz et ne fait pas attention au taxi qui approche et qui ne l'a pas vue non plus. Elle accélère pour passer le feu avant qu'il ne change de couleur. Le taxi l'emboutit[196] au milieu de la rue. Le choc est impressionnant. La moto tombe sur le côté. Ana est allongée sur le sol.

Roberto arrive à toute vitesse.

— Il faut que tu te lèves, Ana, il va filer. Il va filer avec notre fric !

— C'est trop tard, Roberto, c'est trop tard. Il n'est déjà plus là.

---

193. Jeter un œil (expr.) : *Regarder rapidement.*
194. Sonné (adj.) : *Choqué (par un coup).* (fam.)
195. Manette (n.f.) : *Poignée de commande. Ici, la manette des gaz sert à accélérer.*
196. Emboutir (v.) : *Cogner avec violence.*

Roberto relève la tête. Sa compagne a raison : Miguel n'est plus sur le trottoir, il n'est pas dans la rue non plus.

Roberto, à bout de souffle, se remet en marche. Il marche au pas de course plus qu'il ne court, jette un œil dans la rue à droite, repart pour vérifier que Miguel n'est pas sur le trottoir en face, retraverse dans l'autre sens, au moment où, dans son dos, le Français repart dans l'autre sens après être resté caché sans bouger dans l'entrée d'un magasin fermé.

Miguel s'éloigne en allongeant le pas puis, quand il sent que ni Ana ni son compagnon ne peuvent le repérer, se met à courir pour de bon, sans retenue, sans réserve, comme on court quand on sait qu'on a remporté la partie, comme on traverse le terrain après avoir marqué un goal, comme on court pour retrouver celle qu'on aime après des semaines de séparation, comme on court quand on a échappé à la mort.

Miguel n'aura presque rien vu de New York. Ni la Statue de la Liberté ni les tours du World Trade Center en construction ni les arbres de Central Park. Il n'en est pas moins heureux.

Il est en vie, debout dans le métro, son portefeuille en poche, sa carte de crédit dans la pochette sur son ventre. Il n'a plus de valise, ni de cousine. Il n'a plus qu'une envie : rejoindre l'aéroport et monter dans le premier vol vers l'Europe.

Il ne possédera jamais de maison sur la colline de Barcelone. Le rêve s'est éteint et Miguel se dit que c'est sans doute une bonne chose. En cet instant où le métro poursuit sa course sous les rues de Manhattan, Miguel ne rêve que d'une chose : retrouver sa petite vie tranquille, bien à lui. Oui, c'est ça : son balcon, un verre de rosé… ou alors une petite promenade au bord de la rivière. Et même son travail, pourquoi pas ? Dans un premier temps en tout cas…

Il a toute la vie devant lui pour revenir à New York.

Il reviendra un jour, il le sait : il a une valise à récupérer dans un bar de Harlem.

Crédits

Principe de couverture : David Amiel et Vivan Mai
Direction artistique : Vivan Mai
Crédits iconographiques de la couverture : Jan Greune/Look/
Gettyimages ; Manuel Gutjahr/Vetta/Gettyimages

Relecture et mise en pages : Nelly Benoit

Enregistrement, montage et mixage : Studio EURODVD

ISBN 978-2-278-07970-4– ISSN 2270-4388

Dépôt légal : 7970/07
Achevé d'imprimer en France en décembre 2019 sur les presses
numériques de Jouve (Mayenne)